W9-CEJ-492

ANNA KANG Ilustrado por CHRISTOPHER WEYANT

¿Puedo contarte un secreto?

Una historia sobre cómo ser valiente
y compartir tus preocupaciones

Uranito
Argentina • Chile • Colombia • España
Estados Unidos • México • Perú • Uruguay • Venezuela

¡Pssst!

Sí, tú.
Hola.
¿Puedes acercarte un segundito?

¿Un poco más?
¿Aún MÁS?

Tengo un
secreto.

¿Sabes *guardar* un secreto?
¿Estás seguro?
Porque no quiero que nadie lo sepa.

¿Me lo *prometes*?

Gracias.
Sabía que podía contar contigo.

Mi secreto es que…

No sé nadar.
Nada de nada.
Y…

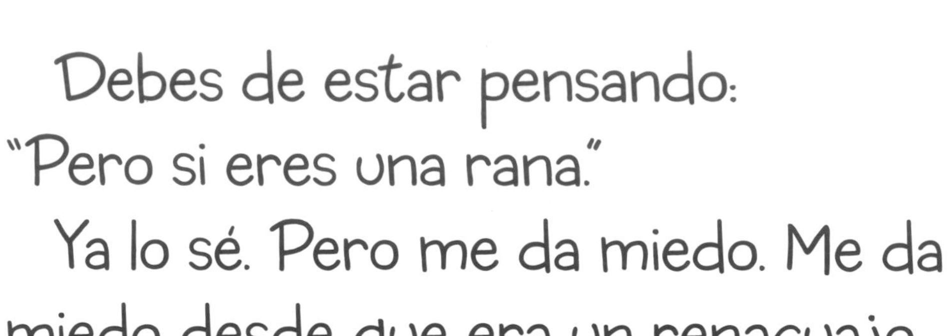

Debes de estar pensando:
"Pero si eres una rana."

Ya lo sé. Pero me da miedo. Me da miedo desde que era un renacuajo.

¿Que cómo he guardado este secreto durante tanto tiempo?
Buena pregunta.

Pues con mucha astucia...

y esfuerzo.

Es agotador.

Y estoy muy triste
porque de verdad quiero nadar.
¡Al fin y al cabo soy una rana!
¿Qué puedo hacer?

¿Cómo? ¿Crees que debería contárselo a alguien?
¿A mis papás, por ejemplo?
¿Estás seguro? ¿TOTALMENTE SEGURO?
¿Tú no me mentirías, verdad?

De acuerdo . . .
Quizás tengas razón.
¿Qué te parece si
se lo cuento mañana?

Está bien, está bien.
Se lo contaré ahora.

¿Mamá? ¿Papá? Tengo
que contarles una cosa.
Me da . . . Me . . .

. . . ¡Me GUSTÓ mucho la cena!

Bueno, es que estaba deliciosa. ¿Cómo?
¿Crees que debería intentarlo otra vez?
(Suspiro). Está bien . . . Si tú lo dices.

¿Mamá? ¿Papá?
Me da . . . Me . . .
¿Sí, Monty?

. . . Me pone muy *contento*
que sean mis papás.

Gracias, hijo.
Tú también eres genial.

Te queremos
mucho, Monty.

¿Por qué me miras así?
¡Es que estoy MUY contento
de que sean mis papás! Está bien,
está bien... Se lo contaré.

¿Mamá? ¿Papá?
Tengo que contarles una
cosa importante.
Me... Me da...

Me da miedo el agua.

Ya lo sabemos, cariño.

¿QUE YA LO **SABEN**?

Sí, desde que eras un renacuajo.

Entonces, ¿eso significa
que no tengo que nadar?

¡Eso significa que ya es hora de que aprendas!

Todo saldrá bien, Monty. Te lo prometemos.

¿Puedo traer un nuevo amigo que me ha estado ayudando?
Claro que sí.

Tengo tanto miedo...
¿Estás seguro de que puedo hacerlo?
De acuerdo.
¿Te quedarás aquí conmigo?
Gracias.

¡PLAAAF!

¡Lo he conseguido!

Gracias por ser tan buen amigo.
¿Puedes regresar mañana?

A Emil, Lisa y Emma, con amor

—Anna & Chris

Título original: *Can I Tell You a Secret?*
Written by Anna Kang and illustrated by Christopher Weyant
Editor original: Hodder Children's Books – An imprint of Hachette Children's Group, London
Traducción: Tiana Puig Soler

1.ª edición Septiembre 2017

Aribau, 142, pral. – 08036 Barcelona
www.edicionesurano.com
www.uranito.com

ISBN: 978-84-16773-39-8
E-ISBN: 978-84-16990-81-8
Depósito legal: B-16.259-2017

Fotocomposición: Ediciones Urano, S.A.U.

Impreso por: Gráficas Estella, S.A.
Carretera de Estella a Tafalla, km 2 – 31200 Estella (Navarra)

Impreso en España – *Printed in Spain*